D1097734

ЗАЮШКИНА ИЗБУШКА

художник: Игорь Приходкин

Жили-были лиса и заяц. У лисы была избушка ледяная, а у зайчика лубяная.

Пришла весна – у лисицы избушка-то и растаяла, а у зайчика стоит по-старому. Лиса попросилась к зайчику погреться да и выгнала его из избушки.

Идёт зайчик, плачет, а навстречу ему собаки:

– О чём, зайчик, плачешь?

– Как мне не плакать! Была у меня избушка лубяная, а у лисы ледяная. Пришла весна, у неё избушка растаяла – она попросилась ко мне погреться да и выгнала меня.

– Не плачь, зайчик, мы её выгоним.

Подошли к избушке:

– Ав-ав-ав! Поди, лиса, вон!

А лиса им с печи:

– Как выскочу, как выпрыгну – полетят клочки по закоулочкам!

Собаки испугались и убежали.

Сел зайчик под кустик и плачет.

Идёт мимо медведь:

– О чём, зайчик, плачешь?

– Как мне не плакать! Была у меня избушка лубяная, а у лисы ледяная. Пришла весна, избушка у лисы и растаяла. Попросилась она ко мне погреться да меня и выгнала.

– Не плачь, зайчик, я её выгоню.

– Нет, медведь, не выгонишь. Собаки гнали – не выгнали, и ты не выгонишь.

– Нет, выгоню.

Подошли к избушке. Медведь как заревёт:

– Поди, лиса, вон!

А она ему с печи:

– Как выскочу, как выпрыгну – полетят клочки по закоулочкам!

Медведь испугался и ушёл.

Сидит зайка под кустиком и плачет.

Идёт мимо петушок – золотой гребешок и косу на плече несёт. Увидал зайчика и спрашивает:

– Что ты, зайка, плачешь?

– Как мне не плакать! Была у меня избушка лубяная, а у лисы ледяная. Её избушка растаяла – попросилась она ко мне погреться да меня из избушки-то и выгнала.

– Пойдём, я её выгоню.

– Нет, не выгонишь. Собаки гнали – не выгнали, медведь гнал – не выгнал, и ты не выгонишь.

– А я выгоню. Пойдём!

Подошли к избушке. Петух и запел:

– Ку-ка-ре-ку! Несу косу на плечи, хочу лису посечи. Ступай, лиса, вон!

А лиса-то и испугалась. Говорит:

– Одеваюсь...

– Ку-ка-ре-ку! Несу косу на плечи, хочу лису посечи. Поди, лиса, вон!

А она говорит:

– Шубу надеваю...

Петух в третий раз как закричит:

– Ку-ка-ре-ку! Несу косу на плечи, хочу лису посечи. Ступай, лиса, вон!

Выскочила лиса из избушки и убежала в лес.

И стал зайчик опять жить в своей избушке.

КРЫЛАТЫЙ, МОХНАТЫЙ ДА МАСЛЕНЫЙ

На лесной опушке в тёпленькой избушке жили-были три братца: воробей крылатый, мышонок мохнатый да блин масленый.

Жили они поживали, друг друга не обижали. Каждый свою работу делал, другому помогал. Воробей еду приносил – с полей зёрен, из лесов грибов, с огорода бобов. Мышонок дрова рубил, а блин щи да кашу варил.

Хорошо жили. Бывало, воробей с охоты воротится, ключевой водой умоется, сядет на лавку отдыхать. А мышь дрова таскает, на стол накрывает, ложки крашеные считает. А блин у печи щи варит, крупной солью солит, кашу пробует.

Сядут за стол – не нахвалятся.

Воробей говорит:

– Эх, щи так щи, как хороши да жирны!

А блин ему:

– А я, блин масленый, окунусь в горшок да вылезу – вот щи и жирные!

А воробей кашу ест и похваливает:

– Ай, каша, ну и каша!

А мышь ему:

– А я дров навезу, мелко нагрызу, в печь набросаю, хвостиком разметаю – хорошо в печи огонь горит, вот каша и горяча!

– Да и я,– говорит воробей,– не промах: соберу грибов, натащу бобов – вот вы и сыты!

Так они и жили, друг друга хвалили, да и себя не обижали.

Только раз призадумался воробей. «Я,– думает,– целый день по лесу летаю, а они как работают? С утра блин на печи лежит – нежится, а только к вечеру за обед берётся. А мышь с утра дрова везёт да грызёт, а потом на печь заберётся, на бок повернётся, да и спит до обеда. А я с утра до ночи на охоте – на тяжёлой работе. Не бывать больше этому!»

Рассердился воробей – ножками затопал, крыльями захлопал и давай кричать:

– Завтра же работу поменяем!

Блин да мышонок видят, что делать нечего, на том и порешили.

На другой день утром блин пошёл на охоту, воробей – дрова рубить, а мышонок – обед варить.

Вот блин покатился в лес. Катится по дорожке и поёт:

Прыг-скок,
Прыг-скок.
Я – масленый бок!

Бежал, бежал, а навстречу ему Лиса Патрикеевна.

– Ты куда, блинок, бежишь-спешишь?

– На охоту.

– А какую ты, блинок, песенку поёшь?

Блин заскакал на месте да и запел:

Прыг-скок,
Прыг-скок.
Я – масленый бок!

– Хорошо поёшь, – говорит Лиса Патрикеевна, а сама ближе подбирается:

– Прыг-скок, говоришь?

Да как прыгнет, да как фыркнет, да как ухватит за масленый бок – ам!

А блин кричит:

– Пусти меня, лиса, в дремучие леса, за грибами, за бобами – на охоту!

А лиса ему:

– Нет, я съем тебя!

Блин бился, бился, еле от лисы вырвался – бок в зубах оставил, домой побежал!

А дома что делается!

Стала мышка щи варить: чего ни положит, а щи всё не жирны, не хороши, не маслены!

– Как,– думает, – блин щи варил? А, да он в горшок нырнёт да выплывет, и станут щи жирные!

Взяла мышка да кинулась в горшок. Обварилась, ошпарилась, еле выскочила! Села на лавку да слёзы льёт.

А воробей дрова возил: навозил, натаскал да давай клевать, на мелкие щепки ломать. Клевал, клевал, клюв на сторону своротил. Сел на завалинку и слёзы льёт.

Прибежал блин к дому, видит: сидит воробей на завалинке – клюв на сторону, слезами заливается. Прибежал блин в избу: сидит мышь на лавке, шубка у неё повылезла, хвостик дрожмя дрожит.

Как увидели, что у блина полбока съедено, ещё пуще заплакали.

Тут блин и говорит:

– Так всегда бывает, когда один на другого кивает, своё дело делать не хочет.

Тут воробей со стыда под лавку забился.

Ну делать нечего, поплакали-погоревали и стали снова жить-поживать по-старому: воробей еду приносить, мышь дрова рубить, а блин щи да кашу варить.

Так они живут, пряники жуют, медком запивают, нас с вами вспоминают.

ЗИМОВЬЕ ЗВЕРЕЙ

Надумали бык, баран, свинья, кот да петух жить в лесу.

Хорошо летом в лесу!

Быку и барану травы вволю, кот ловит мышей, петух собирает ягоды, свинья под деревьями корешки да жёлуди роет. Только и худо бывало друзьям, ежели дождик пойдёт.

Так лето прошло, наступила осень, стало в лесу холодать. Бык прежде всех спохватился зимовье строить. Встретил в лесу барана:

– Давай, друг, зимовье строить! Я стану из леса брёвна носить да столбы тесать, а ты будешь щепу драть.

– Ладно, – отвечает баран, – согласен.

Повстречали бык и баран свинью:

– Пойдём, Хавронюшка, с нами зимовье строить. Мы станем брёвна носить, столбы тесать, щепу драть, а ты будешь глину месить, кирпичи делать, печку класть.

Согласилась свинья.

Увидели бык, баран и свинья кота:

– Здравствуй, Котофеич! Пойдём вместе зимовье строить. Мы станем брёвна носить, столбы тесать, щепу драть, глину месить, кирпичи делать, печку класть, а ты будешь мох таскать, стены конопатить.

Согласился кот.

Повстречали бык, баран, свинья и кот в лесу петуха:

– Здравствуй, Петя! Идём с нами зимовье строить! Мы будем брёвна носить, столбы тесать, щепу драть, глину месить, кирпичи делать, печку класть, мох таскать, стены конопатить, а ты – крышу крыть.

Согласился и петух.

Выбрали друзья в лесу место посуше, наносили брёвен, натесали столбов, щепы надрали, наделали кирпичей, моху натаскали – стали рубить избу.

Избу срубили, печку сложили, стены проконопатили, крышу покрыли. Наготовили на зиму запасов и дров.

Пришла зима, затрещал мороз. Иному в лесу холодно, а друзьям в зимовье тепло. Бык и баран на полу спят, свинья забралась в подполье, кот на печи песни поёт, а петух под потолком на жёрдочке пристроился.

Живут друзья – не горюют.

Бродили по лесу семь голодных волков, увидели новое зимовье. Один самый смелый волк говорит:

– Пойду-ка я, братцы, посмотрю, кто в этом зимовье живёт. Если скоро не вернусь, прибегайте на выручку.

Вошёл волк в зимовье и прямо на барана угодил. Барану деваться некуда. Забился он в угол, заблеял страшным голосом:

– Бэ-э-э!.. Бэ-э-э!.. Бэ-э-э!..

Петух увидел волка, слетел с жёрдочки, крыльями захлопал:

– Ку-ка-ре-ку!..

Соскочил кот с печи, зафыркал, замяукал:

– Мя-у-у!.. Мя-у-у!.. Мя-у-у!...

Набежал бык, рогами волка в бок:

– У-у-у!.. У-у-у!.. У-у-у!..

А свинья услыхала, что наверху бой идёт, вылезла из подполья и кричит:

– Хрю!.. Хрю!.. Хрю!.. Кого тут съесть?

Туго пришлось волку, едва жив из беды вырвался.

Бежит, товарищам кричит:

– Ой, братцы, бегите!

Услыхали его волки, пустились наутёк.

Бежали час, бежали два, присели отдохнуть. А старый волк отдышался и говорит:

– Вошёл я, братцы, в зимовье, вижу – уставился на меня страшный да косматый. Наверху захлопало, внизу зафыркало! Выскочил из угла рогатый, бородатый – мне рогами в бок! А снизу кричат: «Кого тут съесть?» Не взвидел я свету – и вон... Ой, бежим, братцы!..

Поднялись волки, хвосты трубой – только снег столбом. С тех пор зажили звери в лесу спокойно.

СМОЛЯНОЙ БЫЧОК

Жили-были дедушка да бабушка. Была у них внучка Танюшка. Сидели они один раз у своего дома, а мимо пастух стадо коров гонит. Коровы всякие: и рыжие, и пёстрые, и чёрные, и белые. А с одной коровой рядом бежал бычок – чёрненький, маленький. Очень хороший бычок.

Танюшка и говорит:

– Вот бы нам такого телёночка.

Дедушка думал, думал и придумал.

Вот настала ночь. Бабка легла спать, Танюшка легла спать, кошка легла спать, собака легла спать, куры легли спать, только дедушка не лёг. Собрался потихоньку, пошёл в лес. В лесу наковырял с ёлок смолы полное ведро и вернулся домой.

Бабка спит, Танюшка спит, кошка спит, собака спит, куры тоже уснули, один дед не спит – телёночка делает.

Взял он соломы, сделал из соломы бычка. Взял четыре палки, сделал ноги. Потом приделал головку, рожки, а потом всего смолой вымазал, и вышел у дедушки смоляной бычок, чёрный бочок. Посмотрел дедушка на бычка – хороший бычок. Только чего-то у него не хватает. Стал дедушка рассматривать – рожки есть, ножки есть, а вот хвоста-то нет! Взял дедушка верёвочку, приладил и хвост. И только успел хвост приладить – глядь! – смоляной бычок сам в сарай побежал.

Встали утром Танюшка с бабушкой, вышли во двор, а по двору гуляет смоляной бычок, чёрный бочок.

Обрадовалась Танюшка, нарвала травы, стала смоляного бычка кормить. А потом повела бычка пастись.

Пригнала на крутой бережок, на зелёный лужок, за верёвочку привязала, а сама домой пошла. А бычок траву ест, хвостиком размахивает.

Вот выходит из лесу Мишка-медведь. Постоял-постоял, туда-сюда поглядел – увидел бычка. Стоит бычок не шелохнётся, только шкурка на солнышке блестит.

«Ишь, жирный какой, – думает Мишка-медведь, – съем бычка».

Вот медведь бочком, бочком к бычку подобрался, схватил его да и прилип. А бычок хвостиком взмахнул и пошёл домой. «Топ-топ!» Испугался медведь и просит:

– Смоляной бычок, соломенный бочок, отпусти меня в лес.

А бычок шагает, медведя за собой тащит.

А на крылечке и дедушка, и бабушка, и Танюшка сидят, бычка встречают. Смотрят, а он медведя привёл.

– Вот так бычок! – говорит дедушка. – Смотри, какого медведя привёл. Сошью теперь себе медвежью шубу.

Испугался медведь и говорит:

– Дедушка, бабушка, внучка Танюшка, не губите меня, отпустите меня, я вам за это из лесу мёду принесу.

Освободил дедушка медвежьи лапы.
Бросился медведь в лес.
Только его и видели.

На другой день Танюшка опять погнала бычка пастись. Бычок траву ест, хвостиком помахивает.

Вот выходит из лесу волчище – серый хвостище. Кругом осмотрелся – увидел бычка. Подкрался волк да и вцепился бычку в бок, вцепился и завяз в смоле. Волк туда-сюда. Не вырваться серому. Вот и стал он просить бычка:

– Быченька-бычок, смоляной бочок! Отпусти меня в лес.

А бычок будто не слышит, повернулся и идёт домой. «Топ-топ!» – и пришёл. Увидел старик волка и говорит:

– Вот кого сегодня бычок привёл! Будет у меня волчья шуба.

Испугался волк.

– Ой, старичок, отпусти меня в лес, я тебе за это мешок орехов принесу.

Освободил дедушка волка – только того и видели.

И на завтра бычок пошёл пастись. Ходит по лужку, травку ест, хвостиком мух отгоняет. Вдруг выскочил из лесу зайчик-побегайчик. Подбежал к бычку, тронул лапой – и прилип.

– Ай-ай-ай! – заплакал зайчик.

А бычок «топ-топ»! – привёл его домой.

– Вот молодец, бычок! – говорит дедушка.– Сошью теперь Танюшке рукавички заячьи.

А заинька просит:

– Отпустите меня. Я вам капустки принесу да ленточку для Танюшки.

Освободил старик зайчишкину лапку. Ускакал заинька.

Вот под вечер сели дедушка, да бабушка, да внучка Танюшка на крылечке – глядят: бежит медведь, несёт целый улей мёду – вот вам! Не успели мёд взять, как бежит серый волк, несёт мешок орехов – пожалуйста! Не успели орехи взять, как бежит заинька – кочан капусты несёт да ленточку красную для Танюшки – возьмите скорее!

Никто не обманул.

ЛИСА И ВОЛК

Жили себе дед да баба. Дед и говорит бабе:

– Ты, баба, пеки пироги, а я запрягу сани, поеду за рыбой.

Наловил дед рыбы полный воз. Едет домой и видит: лисичка свернулась калачиком, лежит на дороге. Дед слез с воза, подошёл, а лисичка не шелохнётся, лежит как мёртвая.

– Вот славная находка! Будет моей старухе воротник на шубу.

Взял дед лису и положил на воз, а сам пошёл впереди.

А лисица улучила время и стала выбрасывать полегоньку из воза всё по рыбке да по рыбке, всё по рыбке да по рыбке. Повыбросила всю рыбу и сама потихоньку ушла.

Дед приехал домой и зовёт бабу:

– Ну, старуха, знатный воротник привёзтебе на шубу!

Подошла баба к возу: нет ни воротника, ни рыбы.

И начала она старика ругать:

– Ах ты, такой-сякой, вздумал меня обманывать!

Тут дед смекнул, что лисичка-то была не мёртвая. Погоревал, погоревал, да что ты будешь делать!

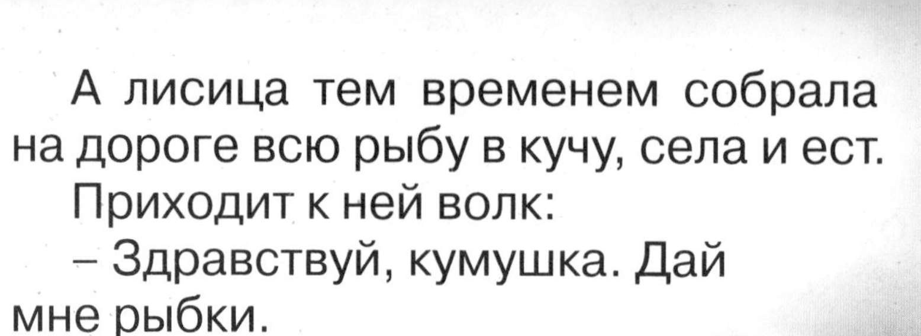

А лисица тем временем собрала на дороге всю рыбу в кучу, села и ест.

Приходит к ней волк:

– Здравствуй, кумушка. Дай мне рыбки.

– Налови сам да ешь.

– Да я не умею.

– Эка, ведь я же наловила. Ты, куманёк, ступай на реку, опусти хвост в прорубь, сиди и приговаривай: «Ловись, рыбка, и мала, и велика! Ловись, рыбка, и мала, и велика!» Так рыба тебя сама за хвост будет хватать. Как подольше посидишь, так больше наудишь.

Пришёл волк на реку, опустил хвост в прорубь, сидит и приговаривает:

– Ловись, рыбка, и мала, и велика!
Ловись, рыбка, и мала, и велика!

А лисица ходит около волка и приговаривает:
– Мёрзни, мёрзни, волчий хвост!
Волк спрашивает лису:
– Что ты, кума, всё говоришь?
– А я тебе помогаю, рыбку на хвост нагоняю.
А сама опять:
– Мёрзни, мёрзни, волчий хвост!

Сидел волк целую ночь у проруби. Хвост у него и приморозило. Под утро хотел подняться – не тут-то было. Он и думает: «Эка, сколько рыбы привалило – и не вытащить!»

В это время идёт баба с вёдрами за водой. Увидела волка и закричала:

– Волк, волк! Бейте его!

Волк туда-сюда – не может вытащить хвост. Баба бросила вёдра и давай его бить коромыслом. Била, била – волк рвался, рвался, оторвал себе хвост и пустился наутёк.

«Хорошо же,– думает,– отплачу я тебе, кума!»

А лисичка забралась в избу, наелась теста, голову себе тестом вымазала, выбежала на дорогу, упала и лежит стонет.

Волк ей навстречу:

– Так вот как ты учишь, кума, рыбу ловить! Смотри, меня всего исколотили...

Лиса ему и говорит:

– Эх, куманёк! У тебя хвоста нет, зато голова цела, а мне голову разбили, насилу плетусь.

– И то правда,– говорит ей волк.– Где тебе, кума, идти, садись на меня, я тебя довезу.

Села лисица волку на спину. Он её и повёз. Вот лисица едет на волке и потихоньку поёт:

– Битый небитого везёт, битый небитого везёт!

– Ты чего, кума, всё говоришь?

– Я, куманёк, твою боль заговариваю.

И сама опять:

– Битый небитого везёт, битый небитого везёт!

СОДЕРЖАНИЕ

Литературно-художественное издание

Серия «Пять сказок»

ЗАЮШКИНА ИЗБУШКА

Сказки

Для чтения родителями детям

Художник И. Н. ПРИХОДКИН

Подписано в печать 17.12.2007. Формат 70x90 1/16. Тираж 30 000 экз. Заказ № 916.

127083, Москва, Верхняя Масловка, 16.

Тел.: 614-76-50, 614-76-42, 614-42-03. www.izdflamingo.orc.ru e-mail: flamingo@orc.ru

Отпечатано в ОАО «Тверской ордена Трудового Красного Знамени полиграфкомбинат детской литературы им. 50-летия СССР».

170040, г. Тверь, проспект 50 лет Октября, 46.